Par Yvan Pommaux à l'école des loisirs :

Ulysse
aux mille ruses

Œdipe
l'enfant trouvé

Orphée
et la morsure du serpent

Thésée
Comment naissent les légendes

Persée
vainqueur de la Gorgone

© 2018, l'école des loisirs, Paris, pour l'édition Neuf poche
© 2012, l'école des loisirs, Paris, pour la première édition
Loi n° 49956 du 16 juillet 1949 sur les publications
destinées à la jeunesse : octobre 2012
Dépôt légal : septembre 2019
Imprimé en France par Pollina - 91075

ISBN 978-2-211-30039-1

Yvan Pommaux

Ulysse

aux mille ruses

d'après l'*Odyssée* d'Homère

Couleurs de Nicole Pommaux

l'école des loisirs
11, rue de Sèvres, Paris 6ᵉ

La guerre de Troie eut lieu au XIIᵉ siècle avant Jésus-Christ.

Elle a duré dix ans.

5

Après leur victoire sur les Troyens, les rois grecs survivants reprirent la mer afin de rentrer chacun chez soi. Pour Ulysse, qui regagnait son royaume d'Ithaque, le voyage dura dix années supplémentaires.

Des années après, des conteurs, qu'on appelait des aèdes, parcouraient la Grèce en racontant les batailles livrées à Troie et le voyage d'Ulysse.

Au fil du temps, ces aèdes enjolivèrent leurs récits, qui formèrent peu à peu une légende pleine de dieux, de monstres et d'événements surnaturels.

Mais attention : trop de surnaturel finit par abîmer une histoire. Et là, par chance, un homme entre en scène...

Au VIIIe siècle avant Jésus-Christ, Homère, aède aveugle, s'empare de la légende et compose deux vastes poèmes : l'*Iliade* et l'*Odyssée*, le premier consacré à la guerre de Troie, le second au retour d'Ulysse. Deux poèmes si beaux que plus personne n'osera rien y ajouter.

Les dieux de la Grèce avaient un roi, Zeus, et ils habitaient
un séjour enchanteur au-dessus des nuages : l'Olympe. De
là-haut, ils observaient les hommes. Parfois, ils descendaient
sur Terre sous les déguisements les plus divers. Il arrivait qu'ils
s'entichent d'un mortel et le protègent, ou, au contraire, le
prennent en grippe et le tourmentent. Ainsi la déesse Athéna
veillait-elle sur Ulysse, alors que Poséidon, le dieu des Mers,
poursuivait ce même Ulysse d'une haine tenace. Nous verrons
pourquoi.

Un jour, Athéna profita de l'absence de Poséidon sur l'Olympe pour se plaindre à Zeus : « Ô Zeus, Suprême Majesté, tu le sais, tous les rois grecs sont rentrés chez eux après la guerre de Troie. Tous, sauf Ulysse, que des tempêtes ont emporté jusque sur les terres de la nymphe Calypso, où il se désespère. Elle le retient depuis sept ans loin de sa femme et de son fils. N'a-t-il pas suffisamment souffert ? » Zeus convoqua Hermès, le messager des dieux, et lui dit :
« Va informer Calypso que nous voulons
le retour d'Ulysse chez lui. »

Athéna prit l'aspect d'un voyageur et se rendit elle-même à Ithaque. Au palais, elle trouva des hommes vêtus en seigneurs qui festoyaient et jouaient aux dés.

Qui étaient-ils ?

Un jeune homme
au beau visage sombre s'approcha.
« Qu'il ressemble à son père ! »
pensait la déesse en se présentant
sous les traits de son précepteur Mentor
à Télémaque, le fils d'Ulysse. Celui-ci ne tarda pas à se
confier… Tous ces gens occupés à boire et à rire étaient
des nobliaux qui convoitaient le royaume de son père
et courtisaient sa mère, Pénélope. Pour eux, la mort
d'Ulysse ne faisait aucun doute, et la veuve du roi
devait se remarier, la coutume l'exigeait.
Mais Pénélope, en dépit des années
passées sans nouvelles de son époux,
gardait l'espoir de le revoir,
et elle rusait pour différer
sans cesse le moment
d'en choisir un autre.

En attendant, les prétendants se donnaient du bon temps au palais, séduisant les servantes, pillant les caves, immolant bœufs, moutons et chèvres. Télémaque, trop jeune, trop seul, enrageait de ne pouvoir intervenir.

Mentor le conjura de tenir bon : « J'ai entendu parler de ton père. Il n'est pas mort mais prisonnier, au-delà des mers… Il reviendra, et il chassera ces prétendants. »

Cependant, Hermès aux sandales ailées filait chez Calypso, aux confins du monde connu.

Il trouva la nymphe aux cheveux ondulés et lui transmit le message de Zeus. Or Calypso aimait Ulysse, qu'elle avait sauvé de la noyade. En lui demandant de laisser partir son bien-aimé, on lui brisait le cœur. Mais pas question de désobéir au roi des dieux.

Sa mission accomplie, Hermès prit congé.

Ulysse se désolait, assis sur le rocher d'où chaque jour il scrutait l'horizon en songeant à Ithaque, sa chère patrie. Il était sans colère contre Calypso, cette belle amoureuse qui lui avait sauvé la vie. Elle vint le trouver et prononça les mots qu'il n'espérait plus entendre : « Tu es libre. »

Ulysse construisit un solide radeau et partit, muni de vivres, guidé par le soleil et les étoiles. Au dix-huitième jour de navigation, il touchait au but. Par malheur, Poséidon, de retour sur l'Olympe, vit, sur la mer calme, le radeau de l'homme dont il avait juré la perte.

Il rassembla aussitôt les nuages, brandit son trident, déchaîna les bourrasques d'Euros, de Notos, de Zéphyr, de Borée, bref, de tous les vents à la fois. Des éclairs zébrèrent le ciel. Le radeau craqua et se disloqua, le mât foudroyé se brisa. Une lame emporta Ulysse et le jeta dans les flots en furie. De toutes ses forces, il nagea vers la côte.

Il s'échoua, épuisé, sur une petite
plage à l'embouchure d'un fleuve. La fraîcheur
du soir le fit frissonner. Il alla se réfugier dans un bois
d'oliviers tout proche et s'endormit sur un matelas de feuilles
encore chaudes de toute une journée de soleil.

Il se trouvait dans l'île de Phéacie, où régnaient le roi Alkinoos et la reine Arété, parents de la belle Nausicaa, plongée
cette nuit-là dans un profond sommeil. Depuis l'Olympe,
Athéna insuffla un rêve à l'endormie, qui se vit avec ses servantes occupées à la grande lessive de printemps.

Nausicaa accordait de l'importance aux rêves, et, dès le
lendemain matin, les femmes foulaient quantité de draps,
manteaux, nappes et vêtements dans les lavoirs aménagés le
long du fleuve, tout près de la plage.

Une fois le linge mis à sécher, elles jouèrent avec une balle
qui fut lancée si fort qu'elle rebondit sur la tête d'Ulysse, dans
le bois d'oliviers.

Réveillé en sursaut, le naufragé jaillit de son abri.

Grand, hirsute, sa peau tannée couverte de
plaies, il fit s'enfuir les servantes. Seule resta
Nausicaa. Ulysse se jeta à ses genoux en
implorant sa protection.

« Je suis Nausicaa, dit-elle, fille d'Alkinoos et d'Arété. Je vais te conduire à eux. »

Elle fit donner des vêtements au naufragé, qu'il enfila après quelques ablutions dans le fleuve. Lavé, vêtu, Ulysse présentait un tout nouvel aspect.

Le port altier, la démarche assurée, il rayonnait à présent de charme. Nausicaa comprit qu'elle avait affaire à un homme de grande noblesse. Alkinoos accueillit l'étranger, lui offrit le gîte et le couvert.

Le soir, un dîner fut servi.

Arété y avait convoqué le célèbre aède Démodocos, qui chantait la guerre de Troie, ancienne de dix ans déjà. Quelle ne fut pas la surprise d'Ulysse d'entendre conter l'un de ses exploits :

« Voici venir la lune nouvelle, la lune noire. Accompagné de ses meilleurs guerriers, Ulysse s'enferme à l'intérieur du grand cheval de bois qu'on amène dans les ténèbres devant les remparts de Troie et que les Troyens découvrent à l'aube. En mer, à l'horizon, s'éloignent les navires des Grecs. Ils ont brûlé leurs tentes, levé le camp. Est-ce la fin des batailles, ou bien un piège ? Rien ne bouge. Le soleil au zénith frappe le cheval de bois. Les hommes qui s'y cachent sont à bout de patience.

Ce qu'espérait Ulysse arrive enfin : le cheval est tiré par les Troyens jusqu'au cœur de leur cité. Ils célèbrent leur nouvelle idole, et perdent toute méfiance. "Tuez !" ordonne Ulysse à ses hommes. Les flancs du cheval s'ouvrent, de redoutables guerriers en jaillissent, exaspérés par l'attente. Ils massacrent, fauchent, tranchent, frappent d'estoc et de taille. Ils sèment la mort jusqu'aux portes de Troie et s'enfuient. »

Que la réalité est loin de la légende ! En vérité, Ulysse a perdu nombre de compagnons lors de ce fait d'armes. Il les revoit tomber sous les flèches des archers troyens, et ne peut retenir ses larmes.

Alkinoos interrompit l'aède : «Ton récit chagrine notre invité, Démodocos. Mais toi, étranger, tu ne peux plus faire mystère de ton nom, ni de ton histoire. Tu pleures devant nous, il faut nous dire pourquoi.

– Tu l'as deviné, généreux hôte. Je suis Ulysse, l'inventeur du cheval de mort. Et les causes de mes pleurs sont nombreuses…

– Raconte-nous ton retour de Troie, dit Alkinoos, nous connaissons déjà tes exploits de guerre.»

Ulysse but une gorgée de vin
et commença un long récit…

« Troie est vaincue.

Comme les autres rois, je repars chez moi, mais chacun suit sa route. Ma flotte compte douze navires que le vent pousse vers le pays des Cicones, peuple allié à l'ennemi troyen, faute impardonnable à nos yeux.

Nous accostons, nous massacrons, nous rasons la ville d'Ismaros, nous la pillons, nous partageons les vivres et les richesses. Mes compagnons insistent pour festoyer et se reposer là. Ils boivent des fleuves de vin, égorgent moutons et bœufs qu'ils font rôtir. Or des Cicones avaient fui, et couru chercher de l'aide auprès de leurs voisins. Je vois toute une armée se profiler à la crête d'un mont. Je fais embarquer mes hommes, et mes navires s'éloignent de la côte. Quelques compagnons restés sur la plage, lourds de trop de vin et de nourriture, sont tués sous mes yeux par les Cicones. Je n'ai pas le temps de les pleurer, car le ciel se couvre soudain de bas nuages noirs et le vent déchire nos voiles.

Les rames sortent des flancs des vaisseaux, les hommes souquent et nous regagnons la terre.

Après nous être reposés, nous réparons les navires et reprenons la mer, cap sur notre pays. Je vais revoir Ithaque.

Erreur !

Un dieu, probablement, s'acharne contre nous.

Borée nous repousse au large, où d'autres vents nous emportent jusqu'au pays des Lotophages, peuple étrange qui se nourrit d'une certaine fleur de lotus. Dès qu'on y goûte, on glisse dans une sorte d'hébétude, on rit niaisement, on ne veut plus rien faire. Or les Lotophages, loin d'être agressifs, sourient aux voyageurs et leur donnent à mâcher leur plante amollissante.

Ayant dû ramener de force au navire trois de mes hommes dans un triste état de torpeur béate, je donne l'ordre de repartir au plus vite.

Les rames battent les flots et nous arrivons au pays des Cyclopes, ces géants qui n'ont qu'un œil au milieu du front. Ils sont, dit-on, immortels, mais farouches et rustres.

J'aperçois une haute caverne ombragée de lauriers. Je débarque avec douze hommes d'élite, emportant avec moi une outre de bon vin volée aux Cicones.

Nous grimpons, entrons dans la caverne, où nous voyons des enclos bondés d'agnelets, de chevreaux, des pots regorgeant de lait, des claies chargées de fromages, tout cela beaucoup plus grand que de coutume. Mes compagnons me supplient de repartir au plus vite.

Hélas ! Je ne les écoute pas, trop curieux de voir un Cyclope de près.

Il en arrive un, poussant devant lui un troupeau de brebis. Il ferme l'entrée de son logis avec un rocher parfaitement ajusté, que nous ne pourrions pas bouger d'un pouce, même en liguant nos forces. Il se retourne et son œil nous fixe.

C'est à Polyphème, le plus terrible
des Cyclopes, que nous avons affaire.

Je lui dis : "Nous errons par les mers, déroutés par des vents capricieux, et nous implorons ton hospitalité."

Pour toute réponse, le monstre avance une main gigantesque, saisit deux de mes compagnons et leur fracasse le crâne contre la roche. Tranquillement, il les dévore. Il rote, s'allonge au milieu de ses bêtes et s'endort.

Aiguiser mon épée, lui trancher la gorge ? Non. Nous ne pourrions pas déplacer le rocher qui ferme sa grotte, et serions condamnés à mourir auprès de son cadavre.

Au petit jour, il se réveille, s'étire et attrape deux de mes hommes. Horreur ! Il leur fait subir le même traitement qu'à ceux de la veille. Il ôte sa porte monumentale, sort avec ses brebis, et bien vite referme son antre.

Si jusqu'à présent j'ai survécu aux plus grands dangers, c'est grâce au sang-froid, à la ruse. J'observe méthodiquement la caverne. Polyphème possède une massue aussi longue qu'un mât de bateau. Ce qui reste de notre petit groupe s'affaire à la tailler, à l'aiguiser pour la transformer en un pieu bien pointu que nous cachons dans la paille répandue au sol.

Le rocher bouge. D'abord un rai puis un flot de lumière entrent avec le troupeau bêlant qui nous refoule au fond de la caverne. Le Cyclope, une fois franchi le seuil de sa demeure, replace son rocher. Il prend du feu dans l'âtre à l'aide d'un bâton et allume des torches. Son gros œil inexpressif me regarde quand il empoigne à nouveau deux de mes hommes, les fracasse et les dévore.

Je viens à lui en brandissant

la grosse outre de vin que j'ai apportée. Un vin noir, capiteux, qui monte à la tête.

"Cyclope, lui dis-je, bois un coup !"

Il m'arrache l'outre, en dirige le jet dans sa gorge.

"Bon vin ! rugit-il, dis-moi ton nom, mon hôte, car je veux boire à ta santé et te faire un cadeau !"

D'instinct, j'évite de lui donner mon vrai nom. Je réponds : "Personne, je me nomme Personne."

Le monstre vide l'outre. Le vin lui embrume l'esprit.

"À ta santé, Personne ! Maintenant, ton cadeau : je te dévorerai en dernier… (Sa main avance vers nous.) Voilà le cadeau que… je…" Il bredouille, ne peut finir sa phrase.

Tombant à la renverse, il s'endort en ronflant. Sa bouche ouverte exhale une puanteur atroce. Vite, nous saisissons notre pieu, enfonçons sa pointe dans les braises de l'âtre.

Quand le bois d'olivier est tout près de flamber, mes compagnons soulèvent l'arme improvisée et lui donnent de l'élan tandis que je dirige sa pointe rougie droit dans l'œil du Cyclope.

Elle s'y enfonce profondément. Nous la tournons et re-
tournons dans ce qui n'est plus qu'un cratère bouillonnant
de sang. Le Cyclope se dresse en rugissant. Nous fuyons,
épouvantés.

Il s'arrache le pieu et le jette.
Il tâtonne, cherche et trouve le rocher
qui obstrue sa caverne, le repousse
et appelle à grands cris ses semblables.

Des grottes alentour sortent des ombres. Le peuple des
Cyclopes s'approche et demande : "Qui t'a fait ça, Polyphème ?

– Personne, mes frères ! Personne !

– Personne ? Alors nous n'y pouvons rien ! Invoque Poséidon, notre père, il t'aidera sans doute."

Ces géants étaient donc les fils du dieu des Mers !

Je me glisse sous le ventre d'un bélier et me cramponne à sa laine, imité par mes compagnons. Humant l'air du dehors, les bêtes sortent paître.

Nous passons de la sorte sans nous faire voir des Cyclopes.

Quand nous lâchons nos moutons pour courir au navire, nous entendons Polyphème hurler dans la nuit : "Poséidon, mon père, punis ce fourbe, ce malin de Personne !
Poursuis-le d'une haine féroce car il
s'est joué de moi et m'a aveuglé
pour toujours…"

Nous voguons plusieurs jours et rencontrons sur notre route l'Éolie, l'île qui flotte. Nous accostons pour nous ravitailler. Je souhaite une brève escale, mais Éole, fils de Cronos, maître des lieux et de tous les vents qui soufflent sur terre et sur mer, m'invite et me retient chez lui. Comme toi, Alkinoos, il me questionne. Il veut tout savoir de la guerre de Troie et des péripéties de mon voyage. Le récit de mes combats et de ma quête obstinée de ma patrie lui fait verser des larmes. Il me fait cadeau d'un grand sac en peau de taureau enfermant solidement tous les vents qui pourraient faire dévier mes vaisseaux.

Nous repartons, poussés par un léger zéphyr. Hélas ! Jalousie, cupidité des hommes ! Pendant que je dors, épuisé d'avoir trop longtemps tenu l'écoute de ma voile, mon équipage complote : "Quoi ? dit l'un. Encore un cadeau pour Ulysse ?

— Oui, dit un autre, voilà des années que nous trimons à son service, mais les présents, les honneurs sont toujours pour lui !"

Un troisième sort son épée et dit : "Voyons un peu ce qu'Éole lui a donné…"

Il tranche le cuir du sac.
Les vents s'en échappent
en rafales. Les bourrasques
se vengent d'avoir été
enfermées. Pendant
des jours, elles poussent
mes vaisseaux où
bon leur semble.

Enfin, elles se calment et
nous tentons d'aborder une terre inconnue.
Malheur ! Des géants encore, avec leurs deux yeux cette
fois-ci, mais sans intentions meilleures que celles des
Cyclopes, nous lancent des rochers du haut d'une falaise.

Je hurle : "Sortez les rames et souquez, compagnons, si vous tenez à la vie !"
Seul mon navire échappe à la pluie de rocs qui s'abat sur notre escadre. Dans des gerbes d'écume dansent les débris de mes vaisseaux et les corps noyés de mes compagnons. Les géants les pêchent au harpon et les dévorent. Ah, l'horrible festin ! Ils boivent, chantent, dansent en s'empiffrant de chair humaine. Seuls rescapés, mon équipage et moi pleurons.

Après plusieurs jours, nous trouvons enfin un rivage hospitalier. Mes hommes sont à bout de forces et de nerfs, il me faut restaurer leur moral. Je les laisse au repos et pars armé de ma lance. J'atteins un fleuve aux eaux pures, et je vois un cerf, un dix-cors, quitter un bois pour venir se désaltérer.

Caché derrière un bosquet, je jette ma lance. Transpercé de part en part, le splendide animal s'effondre.

Je le charge sur mes épaules et le rapporte à mes compagnons. Chacun sort de sa torpeur, s'affaire. On se lave les mains, on rassemble du bois, on dépèce la bête. Il nous reste du vin, et, le soir, au festin, les hommes un peu ivres s'amusent.

Au matin je forme un groupe que j'envoie explorer la région. Euryloque, un de mes meilleurs guerriers, revient seul de cette expédition, en état de choc. Quand il parvient à parler, il raconte :

"Nous sommes sur les terres de Circé, l'immortelle fille d'Hélios. Devant les murs de son palais : des lions… des léopards… en nombre ! Pétrifiés, nous attendons qu'ils nous dévorent, mais ils passent et repassent entre nous de façon caressante, comme font les chats. Je devine qu'ils sont des hommes changés en bêtes par Circé l'ensorceleuse. Mes compagnons, sous le charme de ces grâces félines, entendent une voix mélodieuse qui s'élève. Ils se précipitent aux marches du palais et appellent la chanteuse.

Je les suis en me cachant.

Circé paraît dans une robe de fils d'or qui semble ruisseler sur elle, et leur fait porter par des servantes des coupes remplies d'un vin parfumé.

Ils boivent. Tes guerriers, Ulysse… se changent en porcs ! Circé s'éloigne. Tous la suivent en grognant jusqu'à une bauge, où elle jette des glands. Alors…" Euryloque finit sa phrase en pleurant : "… ils entrent dans la boue et s'y vautrent.

– Quoi ? Quelle humiliation !" dis-je.

Fou de colère, je saisis mon épée, une lance, et demande à Euryloque de me montrer le chemin.

"Non ! dit-il, n'y va pas, tu n'en reviendrais pas !

– Bien ! Reste ici, lui dis-je, moi, je sais où est mon devoir…"

Comme j'aperçois la demeure de Circé, un jeune homme surgit devant moi. Plus tard je comprendrai qu'il s'agissait d'Hermès, le messager des dieux, envoyé par Athéna pour me sauver.

"Malheureux, dit-il, tu t'es trompé d'arme. Prends plutôt celle-ci." Il me donne un brin d'herbe et disparaît.

Devant son palais, j'appelle l'ensorceleuse. Elle se montre dans sa robe ruisselante, et sa beauté me chavire un instant. À moi aussi, elle offre du vin, mais, avant de le boire, j'y plonge à son insu le brin d'herbe. Ne doutant pas de ma métamorphose, elle me tourne le dos et s'éloigne : "Suis-moi, allons retrouver tes semblables !

– Non !" m'entend-elle répliquer.

Elle se retourne, et me voyant inchangé : "Tu es Ulysse, dit-elle, l'homme aux mille ruses dont on m'avait prédit qu'il viendrait et serait insensible à mes sortilèges. Je t'attendais…

… Allons dans ma chambre et devenons amants. Ainsi, nous pourrons nous faire confiance.''

J'accepte de la suivre à la condition qu'elle rende à mes compagnons leur apparence humaine et leur raison. Elle y consent, et m'invite à rester longtemps auprès d'elle. Elle déploie tous ses charmes et promet une vie faite de repos, de plaisirs et de fêtes, pour mes gens aussi bien que pour moi. Nous étions épuisés. Je décide de rester à la grande satisfaction de mon équipage. Mais, après quelque temps, le mal du pays, le désir de revoir mon épouse et mon fils me rongent à nouveau.

"Pars, dit ma belle hôtesse, je ne veux pas d'un amant qui reste à contrecœur. Mais ne mets pas déjà le cap sur Ithaque. Va d'abord dans le monde souterrain, où Hadès règne sur les âmes des morts, et rencontre le devin Tirésias, qui te dira ce qui t'attend chez toi, et comment reconquérir ton royaume.''

Je m'exclame : "Te moques-tu de moi ? Personne ne connaît l'entrée du monde souterrain !

– Laisse le souffle de Borée te pousser, dit Circé, tu arriveras au pays des Cimmériens qui vivent dans l'obscurité perpétuelle, sans jour ni nuit. Tu distingueras un petit promontoire coiffé d'un bois de saules et de peupliers, que tu traverseras…

... Tu découvriras une caverne dans laquelle tu avanceras sans peur. Là, tu trouveras Tirésias. Emporte un bélier pour le lui sacrifier."

Après avoir dépensé des trésors d'éloquence à convaincre mes compagnons de partir, je reprends la mer. Le vent du nord nous pousse, nous pénétrons à la fin du jour dans le temps crépusculaire et figé du pays cimmérien.

Je repère l'endroit décrit par Circé, trouve la caverne où je m'engage sans en voir le fond, un bélier sur les épaules. Je tranche la gorge de l'animal, recueille une coupe de sang et la promets à Tirésias.

Bientôt des ombres d'hommes et de femmes en haillons se précisent dans les ténèbres, arrivent de partout mains tendues, en émettant une sorte de plainte lancinante.

Je verdis de peur, mais la haute silhouette de Tirésias se profile et les ombres disparaissent. Le devin aveugle s'avance, porte la coupe de sang à ses lèvres.

"Tu souhaites un prompt retour dans ta patrie, dit-il, et des vents favorables pour pousser ton navire, mais un dieu te rend le voyage pénible : Poséidon, qui te hait pour avoir aveuglé l'un de ses fils, le Cyclope Polyphème."

Le devin entre en transe : "Je te vois faire escale dans l'île d'Hélios, le Soleil, père de Circé. Il possède des vaches grasses auxquelles il ne faudra pas toucher sous peine de rendre ton retour encore plus difficile... Je vois d'autres obstacles... Je vois ton palais... Une bande de parasites te croit mort, vole tes biens, courtise ta femme, qui, elle, te reste fidèle et t'attend. Je te vois... Oui, je te vois rentrer chez toi, punir sans pitié, restaurer l'ordre dans ton royaume."

Le devin s'éloigne dans le noir. »

Ulysse, ici, s'interrompit et but un peu d'eau fraîche : « Roi, reine, mes hôtes… je suis fatigué, il fait nuit depuis longtemps.

N'est-il pas temps d'aller dormir ? Si mon récit vous a émus, peut-être m'aiderez-vous à rejoindre mon pays.

— N'aie crainte, dit Alkinoos, je te donnerai un navire et de bons rameurs pour rentrer à Ithaque. Mais je ne pourrais me coucher maintenant sans savoir la fin de ton histoire, et cela par ta faute : tu es trop bon conteur ! Allons, je t'en prie, poursuis jusqu'à ton naufrage sur notre île.

— Seigneur Alkinoos, répondit Ulysse, puisque tu souhaites m'entendre encore, j'obéis volontiers. »

Le conteur poursuivit son récit :

« Fort du message de Tirésias me prédisant mon retour, bouleversé à l'évocation de Pénélope, ma chère épouse m'attendant envers et contre tout, je tiens avec énergie l'écoute de ma voile et retourne au pays de Circé pour m'y ravitailler. Nous nous échouons sur le sable d'une crique, et nous dormons jusqu'à l'aube.

Au petit matin, je réveille mes hommes et les mets à l'ouvrage. Quand le navire regorge de vivres, je m'apprête à partir, mais Circé a eu vent de notre escale sur ses terres.

Elle est là, me fait asseoir sur la plage, et dit : "Les courants vont t'emmener vers l'île aux Sirènes, et vous serez en grand danger. Quand un navire passe à leur portée, les Sirènes chantent et charment les marins, les entraînant dans leur repaire où elles les dévorent. Suis mon conseil : à l'approche des lieux où elles sévissent, que chacun de tes hommes se bouche les oreilles avec de la cire d'abeille. Je t'en ai apporté…

Plus loin, vous rencontrerez deux écueils que les courants ne permettent pas de contourner. Vous devrez naviguer entre eux. L'un est un roc dressé, creusé d'une caverne où gîte un monstre effroyable : Scylla aux têtes énormes que six cous serpentins propulsent dans l'eau pour pêcher dauphins, thons… ou rameurs, quand passe un navire à portée ! L'autre écueil, arrondi, supporte un figuier. Cachée dessous, Charybde, créature effrayante, engloutit et vomit les flots sombres. Malheur au navire passant trop près de sa gueule béante quand elle engouffre ! Longe plutôt le rocher de Scylla, Ulysse. Mieux vaut pleurer six compagnons que périr tous.''

La divine et belle Circé s'en est allée, nous larguons les amarres. Une brise vient gonfler la voile et, bientôt, nous apercevons l'île où vivent les Sirènes. Elles ont, dit-on, d'immenses ailes, des serres puissantes, une tête de femme. Je préviens l'équipage de ce qui l'attend s'il se laisse envoûter par leurs chants. Quant à moi, je ne peux refréner ma curiosité de les entendre. Je demande à mes compagnons de m'attacher au mât du navire et de ne me libérer sous aucun prétexte, tant que nous naviguerons dans la zone dangereuse.

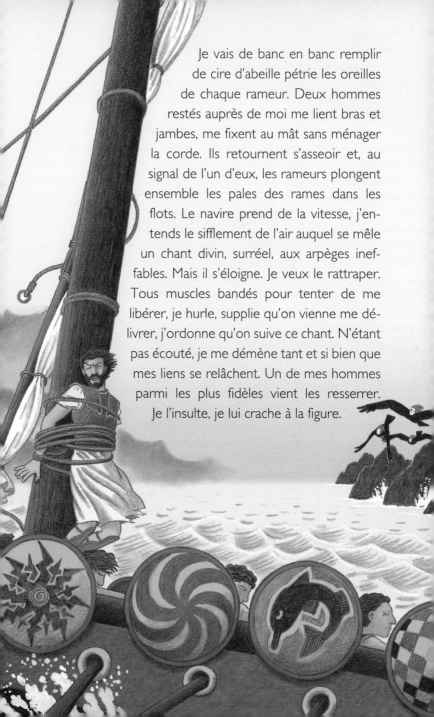

Je vais de banc en banc remplir de cire d'abeille pétrie les oreilles de chaque rameur. Deux hommes restés auprès de moi me lient bras et jambes, me fixent au mât sans ménager la corde. Ils retournent s'asseoir et, au signal de l'un d'eux, les rameurs plongent ensemble les pales des rames dans les flots. Le navire prend de la vitesse, j'entends le sifflement de l'air auquel se mêle un chant divin, surréel, aux arpèges ineffables. Mais il s'éloigne. Je veux le rattraper. Tous muscles bandés pour tenter de me libérer, je hurle, supplie qu'on vienne me délivrer, j'ordonne qu'on suive ce chant. N'étant pas écouté, je me démène tant et si bien que mes liens se relâchent. Un de mes hommes parmi les plus fidèles vient les resserrer. Je l'insulte, je lui crache à la figure.

Le navire file…

… laissant derrière lui les Sirènes et leur île ceinte de blanc par les ossements de leurs victimes incrustés dans la roche.

Le danger est passé. Les hommes reprennent leur souffle. Exténué comme eux, je rumine la honte d'avoir accablé d'injures un brave. C'est lui qui défait mes liens. Je le serre dans mes bras, mais, soudain, des coups sourds se font entendre. Vers le nord, la mer se creuse et, de cette ample respiration, jaillissent des gerbes d'écume. J'aperçois un figuier. C'est Charybde, la créature avide, qui provoque ces mouvements marins. Pour ne pas être emportés, nous suivons le conseil de Circé : longer le rocher de Scylla, qui se dresse à présent au-dessus de nous.

Tout à la manœuvre, nous ne voyons pas arriver d'en haut les têtes hideuses du monstre qui enlèvent trois de mes compagnons. Une puissante lame emporte comme un fétu le navire hors de la passe. Notre cauchemar n'est pas fini. Il nous faut encore, en nous éloignant, assister à l'agonie des nôtres entre les mâchoires de Scylla. L'horreur de cette journée nous laisse hébétés. Notre vigie signale une île, celle d'Hélios, le Soleil. Nous voyons, paissant dans des vallons, des vaches magnifiques.

Je me souviens alors de la mise en garde de Tirésias : toucher à ce bétail nous vaudrait un supplément de malheur. En ordonnant à mes hommes de trouver une autre escale, je déchaîne leur colère.

"Tu es dur, égoïste, Ulysse, dit Euryloque. Nous tombons
de sommeil, et tu nous refuses un repos mérité dans un
endroit plaisant. Tu ne ramais pas, toi, attaché à ton mât pour
le plaisir d'écouter un chant mortel ! Saurions-nous faire face à
une tempête, dans l'état de fatigue où nous sommes ? Y as-tu
pensé ? Un bon capitaine ne tiendrait pas le discours que tu
nous sers !

— Bien, dis-je, accostons, mais faites-moi le serment
que vous ne toucherez pas aux vaches d'Hélios."

Je leur révèle alors le message de Tirésias.
Le seul nom du devin suscite un respect mêlé
de frayeur. Tous jurent, la main sur le cœur.

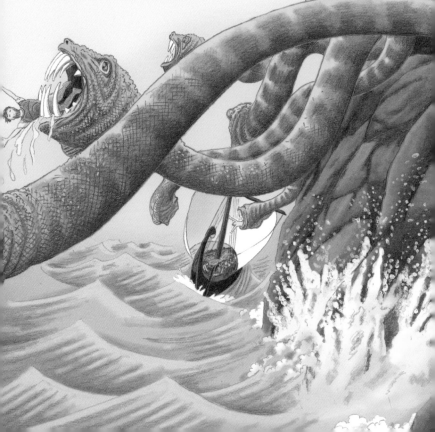

Nous accostons en un lieu enchanteur, non loin d'une source d'eau claire. Nous dînons, et, bientôt, sombrons dans un profond sommeil. Aux deux tiers de la nuit, une tempête se lève.

À la lueur des éclairs, nous voyons une pluie torrentielle noyer la terre, la mer, le ciel. Au creux des rochers qui surplombent la plage, une grotte offre un abri où nous courons nous mettre au sec.

Trente jours durant, le gros temps nous empêche de repartir. Nos réserves diminuent. Nous devons nous rationner. Les hommes ont faim et renient leur serment : trois d'entre eux vont en cachette abattre trois vaches dans un pré voisin.

Sur l'Olympe, Hélios, le Soleil, se plaint à Zeus et menace d'aller briller ailleurs que dans le ciel si les tueurs de vaches ne sont pas châtiés.

"Reste avec nous, Hélios, je te vengerai",
dit Zeus. D'un geste, il calme la tempête,
attrape sa foudre, qu'il garde crépitante
d'éclairs dans son poing fermé. Nous profitons
de l'accalmie pour appareiller. Zeus attend que nous voguions
au large pour desserrer le poing et foudroyer notre mât, qui
tombe et tue plusieurs de mes compagnons.

Zéphyr hurlant pousse devant lui une vague qui grossit et
propulse mon navire au ciel avant de le jeter dans un gouffre
où il se disloque. Tous mes hommes périssent.

Seul, accroché au mât de ce qui fut mon navire, je dérive
pendant neuf jours. Je lâche prise, mes bras n'ont plus de force,
mon esprit et mon corps aspirent à la fin des souffrances…
Je glisse, je meurs, tout près d'une terre que je ne vois pas,
mais d'où Calypso, elle, m'aperçoit, et me sauve…

Elle me garde sept ans, puis me libère. Je construis un
radeau, navigue dix-huit jours, Poséidon coule mon esquif, je
nage et m'échoue sur cette plage où Nausicaa, ta merveilleuse
fille, me trouve… Tu sais tout de mon histoire, Alkinoos. »

Les oiseaux ne chantaient pas encore. Aucun bruit n'arrivait de l'extérieur et tous les convives se taisaient, la tête emplie d'images merveilleuses. Chacun partit chez soi.

Le lendemain, dans le navire qui s'éloignait des côtes phéaciennes, Ulysse salua longtemps de la main Alkinoos et les siens venus l'accompagner au port, puis il s'allongea sur la couche recouverte d'un drap de lin qu'on lui avait préparée à la poupe du navire. Il succomba instantanément au sommeil.

Les rameurs phéaciens atteignirent Ithaque dans la soirée. Ils saisirent le drap par les coins et transportèrent Ulysse endormi sur une plage où ils le déposèrent doucement. Il se réveilla dans la brume. N'y voyant pas à six pas, il se demanda tout d'abord s'il foulait le sol de sa patrie, ou si un dieu malveillant lui jouait encore un méchant tour. Mais Athéna lui apparut.

Elle avait répandu ce brouillard pour l'empêcher de se précipiter au palais, où les apparences auraient pu lui donner des idées fausses.

«Pénélope est irréprochable, dit la déesse, elle t'attend et deviendra pour l'éternité le modèle absolu de la femme fidèle, mais la situation actuelle lui donne l'air d'une biche cernée par une meute de loups. Elle repousse jour après jour le choix qu'elle doit faire d'un mari parmi des prétendants dont l'impatience grandit et qui deviennent menaçants. Elle ruse, fait espérer à l'un, lui dit qu'un autre l'importune, essaie de les dresser les uns contre les autres…

... Aux yeux d'une personne non avertie, elle pourrait passer pour coquette, jouant de son charme auprès de ses amants. Tu ne dois pas surgir devant elle sans précaution, encore moins devant Télémaque, ce fils qui attend depuis si longtemps le retour d'un père prestigieux. Pour eux le choc serait trop brutal. Enfin, les prétendants sont trop nombreux pour que tu les provoques de front.

– Grâce te soit rendue, dit humblement Ulysse, dans ma hâte à retrouver les miens, j'allais commettre les erreurs dont tu me dissuades. »

Athéna dissipa les nuées, et le roi d'Ithaque reconnut la rade où il se trouvait, le bois d'oliviers à main droite, et là, couvert de sa garrigue odorante, le mont Nérite.

« De tous ceux qui te servaient autrefois, les plus fidèles sont Eumée, ton porcher, et Euryclée, ta nourrice », dit la déesse tout en aidant Ulysse, sur sa demande, à prendre l'aspect d'un pauvre mendiant.

Elle lui creusait des rides au front, lui grisait les cheveux et la peau, lui jaunissait les dents, tandis qu'il mettait son manteau en lambeaux et se voûtait, contrefaisait sa démarche. C'est sous cette apparence qu'il alla rencontrer Eumée.

Le porcher le reçut dignement, lui offrit un repas et, mis en confiance par des questions habiles, ne tarda pas à confier ce qu'il avait sur le cœur : les prétendants volaient fréquemment un porc gras à son maître Ulysse… Comment, dans ces conditions, conserver un troupeau digne de ce nom en vue du retour de ce maître qu'on disait mort ? Ce que lui, Eumée, refusait de croire tant que la preuve n'en serait pas apportée.

« Cher Eumée, pensa Ulysse, tu me seras utile en temps voulu. »

Pendant ce temps, Athéna cherchait Télémaque, qu'elle trouva assis sur un rocher devant la mer. Elle lui insuffla le désir de rendre visite à Eumée, qu'il aimait beaucoup.

Télémaque ne s'attendait pas à trouver chez son vieil ami un pauvre mendiant si déjeté.

Le jeune homme salua le vagabond et, s'adressant au porcher :

« As-tu nourri cet homme ?

— Plutôt deux fois qu'une, répondit Eumée, il vient de me dévorer deux porcelets !

— Bien ! » fit Télémaque.

« Voici donc mon fils ! pensa Ulysse, ému. Un fils aussi beau que possible, d'une prestance altière, généreux sans condescendance… »

N'y tenant plus, désireux de connaître, d'aimer ce garçon qui posait sur lui un regard bienveillant, Ulysse se leva et se redressa. Télémaque eut la vision d'un arbuste malingre devenu soudain un puissant chêne.

Eumée, fou de joie en reconnaissant son maître, déclara qu'il devait sans délai s'occuper des cochons, et sortit pour laisser le père et le fils à leurs retrouvailles. Quand il revint, ses hôtes mettaient déjà au point leur plan d'élimination des prétendants. Puis Télémaque rentra au palais.

Le lendemain, Eumée et Ulysse, celui-ci redevenu mendiant, s'y rendirent à leur tour.

Dans la salle des repas, les prétendants festoyaient. Quand, soutenu par Eumée, Ulysse entra et demanda l'aumône, le très arrogant Antinoos s'exclama : « Que nous amènes-tu là, porcher ? Tiens-tu à gâcher notre repas ? Repars avec cette loque humaine !

— Sois généreux, Antinoos, dit Télémaque, donne à manger à ce miséreux. Mais il est vrai que si tu n'as aucun scrupule à piller, tu répugnes à offrir !

— Quel discours moralisateur, Télémaque ! Tu es trop jeune pour prêcher ! Mais vois : je vais m'occuper de ton gueux ! Approche, misérable ! »

Ce disant, Antinoos projeta un tabouret qu'Ulysse ne put
éviter. Il le reçut à l'épaule mais ne broncha pas, et alla s'asseoir
sur les marches à l'entrée. Il fixait des yeux les prétendants qui,
mal à l'aise, sous ce regard dur et froid, commencèrent à se
disputer, entre partisans et détracteurs d'Antinoos.

La soirée devint morose et tous partirent se coucher.
Ulysse et Télémaque restèrent seuls dans la salle vide.

« Si l'un d'eux vous agresse encore, père, je le tuerai
séance tenante !

— Bride ta fureur, mon fils, l'heure est à la ruse. Le temps
de la vengeance est proche mais il faut savoir l'attendre en
prenant des précautions. Décrochons toutes les armes de ces
murs. »

Télémaque cacha soigneusement lances, glaives et javelines, après quoi il alla se coucher. Soudain, Pénélope parut au seuil d'un couloir. Des servantes lui avaient parlé du mendiant arrivé au palais. Or elle questionnait tout voyageur susceptible d'avoir croisé la route de son mari. Accompagnée de la vieille intendante Euryclée, autrefois nourrice d'Ulysse, elle avait baigné son visage pour en chasser la fatigue et avait revêtu l'une de ses robes préférées. Même pour une improbable évocation de son cher époux, elle voulait être belle. Elle approcha deux tabourets du foyer, s'assit, invita l'homme en haillons à en faire autant.

«Mon hôte, je veux d'abord savoir ton nom et celui de ton peuple.

— Ne me demande pas cela, répondit Ulysse, penser à ma patrie me fait trop mal. Je suis si malheureux, ô belle et généreuse hôtesse.

– Belle ? repartit Pénélope. j'en doute. Ma beauté s'est flétrie quand Ulysse, mon époux, m'a laissée seule ici pour aller à la guerre… Ah ! s'il me revenait, je serais belle à nouveau. Mais je m'use à repousser les avances des parasites venus envahir son palais. J'étais parvenue à leur faire accepter qu'ils me laissent terminer la grande pièce de tissu installée sur mon métier avant de choisir un mari. Or je défaisais la nuit une grande partie de ce que j'avais tissé le jour, reculant ainsi le moment fatidique.

Mais une servante m'a trahie, et, à présent, ma réserve de ruses est épuisée. »

Malgré son envie, Ulysse ne pouvait pas encore dire : « C'est moi, je suis de retour. »

Les réactions possibles de cette épouse à bout de forces et de nerfs, en dépit des apparences, pouvaient ruiner ses plans. Mais, voulant adoucir sa peine, il affirma avec son étonnante aptitude à mentir : « J'ai rencontré Ulysse, il vit avec la ferme intention de revenir ici. On m'a raconté que des tempêtes, des obstacles l'ont retardé, mais il approche à coup sûr.

— Tu l'as rencontré ! s'écria Pénélope. Ô mon ami, on m'a déjà dit tant de choses et leur contraire… Ne sois pas fâché si je te demande une preuve de ce que tu avances.

— Je me souviens, dit Ulysse, d'une agrafe de manteau en or. Elle représentait un faon qui se débattait sous la patte d'un lion.

— C'est moi qui lui ai offert cette agrafe… Mon hôte, je sens que je peux avoir confiance en toi… Je voudrais ton avis sur une nouvelle idée de ruse qui m'est venue : proposer aux prétendants un concours dont je serais l'enjeu. Ulysse a laissé ici son arc. Je promettrai d'épouser celui qui parviendra à bander cet arc, puis à tirer une flèche à travers les emmanchements de douze fers de hache alignés. Je crois que tous échoueront dans cette épreuve qu'Ulysse remportait toujours…

— Organise ce concours, ô reine, l'idée est excellente. Tu verras revenir ton époux avant que tous ces misérables aient pu seulement bander l'arc !

« Tes mots me charment, mon hôte, mais tu as droit au sommeil. Prends un bain et repose-toi sur la couche que je te fais préparer. Euryclée te lavera les pieds. »

Pénélope se retira. Euryclée versait de l'eau chaude dans un chaudron quand le mendiant arriva, lavé et drapé dans un linge. Il s'assit et présenta son pied gauche à la vieille femme agenouillée qui s'exclama :

« Ulysse, mon enfant, c'est toi ! »

Elle venait de reconnaître une cicatrice au talon qu'elle tenait dans sa main. Cette blessure ancienne était l'œuvre d'un sanglier aux longues défenses, qui avait chargé Ulysse un jour de chasse.

« Oui, nourrice, c'est moi. Mais tu ne dois dire à personne que tu m'as reconnu. »

Il exigea de la vieille un serment.

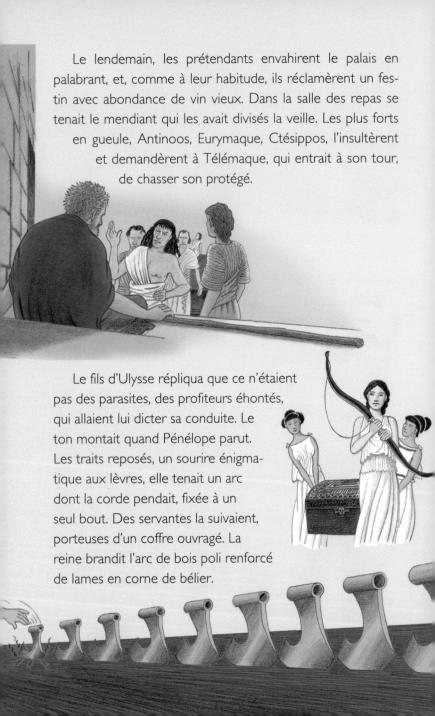

Le lendemain, les prétendants envahirent le palais en palabrant, et, comme à leur habitude, ils réclamèrent un festin avec abondance de vin vieux. Dans la salle des repas se tenait le mendiant qui les avait divisés la veille. Les plus forts en gueule, Antinoos, Eurymaque, Ctésippos, l'insultèrent et demandèrent à Télémaque, qui entrait à son tour, de chasser son protégé.

Le fils d'Ulysse répliqua que ce n'étaient pas des parasites, des profiteurs éhontés, qui allaient lui dicter sa conduite. Le ton montait quand Pénélope parut. Les traits reposés, un sourire énigmatique aux lèvres, elle tenait un arc dont la corde pendait, fixée à un seul bout. Des servantes la suivaient, porteuses d'un coffre ouvragé. La reine brandit l'arc de bois poli renforcé de lames en corne de bélier.

Télémaque ouvrit le coffre, en sortit des flèches et douze fers de hache qu'il ficha un à un dans la table de la salle des repas, de sorte que leurs douze emmanchements se trouvent en enfilade.

Pénélope déclara : « Le jour est venu pour moi de choisir un mari. » Elle poursuivit : « Voici l'arc d'Ulysse, et voici un rang de fers de hache. Celui d'entre vous qui tendra la corde de l'arc et tirera une flèche à travers les douze emmanchements m'aura pour épouse. »

Ulysse appela Eumée d'un signe et lui souffla : « Trouve Euryclée. Avec elle, ferme toutes les issues de la salle, et reviens à mes côtés. »

Les prétendants, l'un après l'autre, tentèrent vainement de ployer le bois poli pour passer la corde tendue dans son encoche.

Eumée, de retour, murmura à l'oreille de son maître : « C'est fait !

— Bien, dit le faux mendiant. Quand je te ferai signe, tu m'apporteras l'arc et les flèches. »

Eurymaque, à son tour, ne fit pas mieux que les concurrents précédents. Antinoos, sentant qu'il allait échouer lui aussi, voulut détourner l'attention en proposant de revenir au festin qu'apportaient servantes et serviteurs. Mais, de son coin, le mendiant demanda à bander l'arc.

« Quoi ? s'exclama Antinoos. Tu perds la tête, misérable gueux ! Tu es ivre ! Continue de boire et tiens-toi tranquille ! »

Pénélope intervint en faveur du mendiant. Eurymaque grinça :

« S'il réussissait, ô reine ? Veux-tu qu'on répète partout qu'un vagabond a fait mieux que la fine fleur de notre île ? »

L'atmosphère s'alourdissait.

Télémaque chuchota à l'oreille de sa mère : « L'arc est une arme, et les armes sont affaire d'hommes… Je t'en prie, mère, rentre chez toi, le sang va couler. »

Sous les regards devenus soup-
çonneux, Pénélope, suivie de ses
servantes, s'éloigna dans l'ombre
du couloir qui menait à ses
appartements.

Ulysse avait profité de cet instant de flottement pour
adresser à Eumée le signe convenu. Quand les prétendants
reportèrent enfin leurs regards sur le faux mendiant, il avait
l'arc en main et les flèches à ses pieds. Il fit
fléchir le bois poli, et, sans effort apparent,
ajusta la corde. Il la pinça, elle vibra, émit
un joli son.

Il prit une flèche, il l'ajusta, arma.
Il visa, et tira…

La flèche traversa l'enfilade des douze haches pour aller
se ficher dans un tabouret placé là à dessein.

Les prétendants avaient pâli. Ulysse se redressa. Rides, teint et cheveux gris prêtés par Athéna s'effacèrent. Majestueux, le roi d'Ithaque ajusta une nouvelle flèche à son arc et rugit : « Chiens ! Vous avez pillé ma maison, humilié mon fils, courtisé ma femme et voulu usurper mon trône ! Voici venu pour vous le temps du châtiment ! »

La première flèche transperça la gorge d'Antinoos. La deuxième se planta dans la poitrine d'Eurymaque qui s'effondra, renversant table et plats.

Les autres cherchaient aux murs les lances, les boucliers… qui ne s'y trouvaient plus. Pendant qu'ils tentaient d'ouvrir les portes, une pluie mortelle de flèches s'abattit sur eux. Quand elle cessa, les survivants se ruèrent pour prendre leurs armes dans le vestibule où ils les avaient déposées avant de festoyer.

Eumée avait fourni à ses maîtres deux casques, deux boucliers, et un glaive pour Ulysse, sortis d'une cachette.

La bataille se poursuivit à l'épée.

Lorsque aux chocs du métal, aux cris d'agonie succéda le silence, Ulysse et Télémaque, seuls à être encore debout, couverts de sueur et du sang de leurs ennemis, présentaient un aspect effrayant.

Ils contemplaient un chaos de corps enchevêtrés dans une salle dévastée.

Rien de grand à leurs pieds, rien de glorieux… Des poissons aux ouïes sanglantes échoués sur une grève…

Nulle joie au cœur d'Ulysse : « Triompher des morts est impie, dit-il, nous ne sommes que les instruments du destin et des dieux. Effaçons ce triste spectacle. »

Il fit chercher Euryclée et lui demanda de rassembler les servantes qui avaient trahi Pénélope et pris le parti des prétendants. La nourrice amena douze filles qui durent plonger dans l'horreur du carnage pour en effacer les traces, tirer les corps des prétendants hors du palais, laver à grande eau la salle des repas. Ulysse voulut encore qu'on purifie le lieu par le soufre et le feu.

Quand ce fut fait, il appela de nouveau Euryclée : « Nourrice, va dire à Pénélope qu'elle n'a plus rien à craindre. Tout est en ordre, je suis là, je l'attends. »

Il s'installa près du foyer, immobile et calme. Télémaque, impatient de voir ses parents réunis, s'agitait à ses côtés.

Pénélope arriva enfin, s'assit en face d'Ulysse et le considéra. Elle ne l'avait pas reconnu sous ses haillons de mendiant… et l'homme qui se tenait devant elle, s'il avait bien les traits de son époux, lui semblait étranger.

Télémaque bouillait d'impatience : « Mère, tu ne dis mot. Que ton cœur est cruel ! Est-ce ainsi qu'on accueille un mari revenu d'une éternité d'épreuves et de malheurs ?

– Mon enfant, dit Pénélope, l'émotion retient mon cœur. Je ne puis dire un mot, ni regarder dans les yeux l'homme qui me fait face. Il nous faut, lui et moi, prendre le temps de nous reconnaître… Il est entre nous des signes, des mots, des marques secrètes que tous ignorent, et ces mots, ces signes, ces marques, nous devons les retrouver un à un.

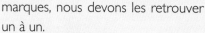

L'homme d'autrefois était aussi un homme nouveau. Qu'avait-il vécu, si loin, si longtemps ?

« Laisse, Télémaque, dit Ulysse, ta mère ne veut pas venir à moi d'un bond, mais pas à pas. Soit. Je vais d'abord me laver, ôter l'odeur de mort et de guerre qui, depuis tant d'années, émane de ma peau. D'ailleurs, allez tous au bain, enfilez vos plus beaux vêtements, et que des aèdes chantent et jouent sur leurs lyres des danses alertes. »

Eumée, Euryclée, serviteurs et servantes, tous obéirent. Ulysse revint baigné, frotté d'huile, vêtu d'une robe pourpre rehaussée de fils d'or au col et aux manches, d'un grand foulard aux plis harmonieux jeté sur ses épaules.

Pénélope, à son tour, entra, belle au-delà des mots. Elle appela Euryclée : « Prends des hommes avec toi, allez chercher dans la remise les bois de notre lit pour le reconstruire dans notre chambre. »

Ulysse comprit qu'il affrontait sa dernière épreuve : « Que dis-tu ? Personne n'aurait pu démonter et déplacer notre lit. J'ai bâti les murs de la chambre autour d'un magnifique tronc d'olivier que j'ai coupé pour en garder la souche. Sur cette souche que j'ai polie, j'ai chevillé les bois d'un vaste lit. Des colonnes aux quatre coins supportent un ciel incrusté d'or, d'argent et d'ivoire, d'où tombent des rideaux légers. »

Pénélope se jeta au cou d'Ulysse. Seul l'homme qui avait construit ce lit pouvait le décrire de cette façon.

Main dans la main, mari et femme allèrent se coucher.

Quelle longue et belle histoire !

Elle est en réalité bien plus longue encore... J'en ai dit l'essentiel, mais sauté des passages... On raconte rarement l'*Iliade* ou l'*Odyssée* en entier. Il faudrait des heures... des jours peut-être...

Mais...

Oui ?

Cet Homère a donc écrit...

« Écrit », on n'en est pas sûr. Disons : « composé ».

... a donc composé l'*Iliade* et l'*Odyssée* des siècles av...

Huit !

Huit siècles avant Jésus-Christ ! Deux mille huit cents ans ! C'est loin !

Oui, c'est très loin, et les historiens se disputent au sujet d'Homère. A-t-il vécu, aveugle, sur l'île de Chios, et composé là les deux célèbres poèmes qui ont traversé le temps ? Beaucoup pensent que oui, d'autres le contestent.

A-t-on vraiment besoin d'un auteur ?

En tout cas, s'il en faut un, Homère, vieux conteur aveugle sur son île, me va très bien !

Tu as raison. Laissons à ces légendes leur auteur légendaire, qu'il y rejoigne Ulysse, les monstres et les dieux...

Index et Glossaire

Alkinoos : Roi des Phéaciens et père de Nausicaa, c'est un monarque aimable. L'hospitalité qu'il offre à Ulysse échoué sur ses terres, la courtoisie avec laquelle il le traite, le tact dont il fait preuve à son égard, la sympathie qu'il lui manifeste et la générosité qu'il démontre en mettant à la disposition du roi d'Ithaque tout ce dont il a besoin pour regagner son île n'ont pas de si nombreux exemples dans le catalogue général des procédés royaux. Tant de bienveillance mérite d'être saluée (pages 16, 17, 19, 26, 36, 45, 46).

Antinoos : Le plus empressé des prétendants qui courtisent Pénélope en l'absence d'Ulysse donné pour mort, et l'un des plus actifs de cette bande de gredins, dès qu'il s'agit de piller la maison du maître. D'une nature violente, en plus (pages 52, 53, 58, 60, 62).

Arété : Épouse d'Alkinoos, roi de Phéacie, et mère de la délicieuse Nausicaa (pages 16, 17).

Athéna : Déesse guerrière sortie en armes du crâne de Zeus, provenance anatomique qui explique qu'elle soit aussi déesse de la Raison. Peut-être cette double vocation de combat et de réflexion l'incline-t-elle à la bienveillance envers son protégé Ulysse, lequel

Athéna

cumule au plus haut point lui-même les qualités physiques et les capacités mentales (pages 10-12, 16, 32, 47, 48, 50, 62).

Borée : Le vent du nord, dans la mythologie grecque (pages 15, 20, 33).

Calypso : Nymphe aux beaux cheveux régnant sur une des îles Ioniennes, au large de la côte ouest de la Grèce (une autre théorie la situe quelque part autour du détroit de Gibraltar). De tempérament possessif, elle retient amoureusement à sa merci le bel Ulysse, dont on comprend qu'elle le considère un peu comme sa chose : elle l'a sauvé de la noyade (pages 11, 13, 14, 45).

CHARYBDE : Constitue avec son homologue Scylla le danger maritime principal du détroit de Messine. Ces deux monstres mangeurs d'hommes se tiennent en embuscade parmi les rocs et les tourbillons fréquents dans ces parages, guettant toute embarcation qui passe à leur portée. Quand le navigateur échappe au premier de ces deux périls, l'autre lui est souvent fatal, d'où l'expression proverbiale : « tomber de Charybde en Scylla », qui signifie qu'on enchaîne les ennuis (pages 38, 42).

CHEVAL DE TROIE : Imposante construction de bois exposée à la convoitise des Troyens et que ceux-ci finissent par amener à l'intérieur de leur cité, sans se douter qu'elle renferme en ses flancs un commando d'ennemis en armes. Ce stratagème couronné de succès a été mis au point par Ulysse pour hâter la victoire des Grecs. Ulysse, avec son cheval-piège, et Pénélope, avec sa tapisserie sans fin, forment décidément un couple de grande astuce (page 18).

CIMMÉRIENS : Nomades indo-européens qui, d'après la chronique, franchirent jadis le Caucase et dévastèrent plusieurs contrées jusqu'en Asie Mineure (*voir carte page suivante*) (page 33, 34).

CIRCÉ : Fille du Soleil, cette magicienne d'une grande beauté possède, entre autres pouvoirs, celui, propre aux femmes fatales, de changer les hommes en porcs. Certains des compagnons d'Ulysse céderont à son charme et subiront à titre provisoire cette métamorphose infamante. Ulysse, pour sa part, y échappera et deviendra l'amant de l'ensorceleuse. On dit même qu'il en a eu un fils, Télégone (pages 30-35, 37, 38, 42).

CTÉSIPPOS : Avec Antinoos et Eurymaque, il forme à Ithaque le trio de choc des prétendants qui prennent leurs aises au palais en l'absence d'Ulysse. Ce sont eux les meneurs, visiblement capables du pire et constituant, pour la fidèle Pénélope, la menace principale (page 58).

CYCLOPES : Engeance peu recommandable de bergers gigantesques, dotés d'un œil unique au milieu du front, ivrognes, affreux, mal embouchés, violents et, de surcroît, anthropophages. Quand ils ne sont pas occupés à garder leurs chèvres ou à tondre leurs moutons, ils forgent des carreaux de foudre pour Zeus. Poséidon, qui, lui-même, leur doit son trident de métal, revendique la paternité du plus redoutable d'entre eux, Polyphème (pages 21-25, 35, 78).

DÉMODOCOS : Aède célèbre en Phéacie et dont le répertoire comporte une version à succès de la prise de Troie par les Grecs, dix ans plus tôt (pages 17-19).

ÉOLE : Il est le dieu qui déchaîne à l'occasion les tempêtes. Mais on

Depuis l'Antiquité, les historiens et géographes
se demandent si l'*Odyssée* relate des faits authentiques
ou si elle n'est qu'affabulation romanesque. Quant au
parcours qu'aurait effectué Ulysse, cette carte montre
la théorie[1] la plus répandue. Selon d'autres avis, il serait
allé jusqu'en Islande, et selon d'autres encore il n'aurait
pas dépassé le golfe de Naples…

FRANCE

Cor

GÉANTS

ESPAGNE

Sardaigne

MER
MÉDITERRANÉE

Gibraltar

SIRÈNES

ALGÉRIE

CALYPSO
(alternative)

MAROC

TUNISI

[1] Pour l'helléniste Victor Bérard (1864-1931), les références
géographiques qui parsèment l'œuvre d'Homère seraient
parfaitement identifiables.
Dans *Les Phéniciens et l'Odyssée* (1902-1903), il prétend ainsi que
l'*Odyssée* est une transcription des voyages accomplis en
Méditerranée par les Phéniciens, peuple marin par excellence.
Homère se serait inspiré des routes maritimes empruntées alors
pour construire son récit. Victor Bérard complète cette thèse
dans *Les Navigations d'Ulysse* (1929), qui reconstitue avec précision
le périple d'Ulysse ainsi que les lieux où il aurait fait escale.

LOTOPHAGES

CIMMÉRIENS

CIRCÉ

ITHAQUE

CYCLOPES

CICONES

TROIE

ITALIE

MER
ADRIATIQUE

THRACE

Rome

GRÈCE

mont
Olympe ▲

Naples

Capri

Corfou

MER
ÉGÉE

Troie

TURQUIE

Îles Éoliennes

Îles Ioniennes

Athènes

Chios

Samos

Sicile

Péloponnèse

MER
IONIENNE

Cyclades

Rhodes

Malte

Cythère

Crète

Djerba

ÉOLE

PHÉACIENS

ÉGYPTE

LIBYE

CHARYBDE
ET SCYLLA

CALYPSO

ÎLE DU SOLEIL

75

le voit plutôt bien intentionné à l'égard d'Ulysse, à qui il fait même un cadeau utile : une outre emprisonnant tous les vents dont celui, libérable sur commande, qui gonflera sa voile en direction d'Ithaque (page 26).

ÉOLIE : île de la Méditerranée homérique, certains la situent parmi les îles Éoliennes au nord de la Sicile (*voir carte*) (page 26).

EUMÉE : À Ithaque, c'est le gardien de porcs d'Ulysse avant le départ de celui-ci pour la guerre de Troie, et qui reste fidèle à son maître tout au long de son absence. Serviteur dévoué, excellent cœur (pages 48-51, 59-61, 63, 68).

EUROS : Non pas le pluriel de notre actuelle unité monétaire européenne, mais le nom du vent d'est, dans la mythologie grecque (page 15).

EURYCLÉE : Nourrice d'Ulysse lorsqu'il était bébé, puis sa gouvernante, devenue par la suite une sorte d'intendante du palais. Elle est la mieux à même de reconnaître à son retour le roi d'Ithaque sous son déguisement de mendiant : la moindre de ses cicatrices n'a pas de secret pour elle (pages 48, 54, 56, 57, 59, 66, 68).

EURYLOQUE : L'un des compagnons d'Ulysse, dont le groupe essuie de lourdes pertes au fil des tribulations de leur chef (pages 30-31, 43).

EURYMAQUE : Prétendant de Pénélope, très grossier personnage (pages 58, 60, 62, 73).

HADÈS : Frère de Zeus et roi des Enfers, où il règne entouré de spectres (pages 33, 79).

HÉLIOS : Divinité du Soleil. Il arpente le ciel à bord d'un char de feu, de l'aube au crépuscule, selon un circuit et des horaires nécessairement réguliers. Au nombre de ses enfants, on compte l'ensorceleuse Circé (pages 30, 35, 42-45).

HERMÈS : Dieu des marchands et des voleurs, mais aussi des facteurs. Grâce à ses sandales ailées, il achemine très promptement le courrier de l'Olympe. Il est aussi l'inventeur de la fermeture « hermétique » qui, de nos jours encore, permet de conserver les haricots sous vide (pages 11, 13, 14, 32).

HOMÈRE : Poète aveugle à qui l'on doit l'*Iliade* et l'*Odyssée*, deux épopées légendaires saluées d'une admiration unanime depuis l'Antiquité. La science moderne met en doute l'existence de cet auteur et nie en tout cas qu'il ait pu n'être qu'un seul homme. C'est le type même du faux problème. Il n'y a qu'à nommer Homère quiconque, individu ou groupe d'individus, nous a donné ces deux chefs-d'œuvre incontestables que sont l'*Iliade* et l'*Odyssée*, et voilà tout le monde d'accord (pages 9, 70, 71, 74).

ILIADE : Poème en vingt-quatre chants narrant, sur le mode épique, les événements de la guerre de Troie et l'affrontement au sommet des deux champions superstars : le Grec Achille et le Troyen Hector. De l'avis général depuis le VIIIᵉ siècle avant notre ère, et tout comme l'*Odyssée* qui lui fait suite, l'*Iliade* est une merveille littéraire (pages 9, 70).

ITHAQUE : Une des îles Ioniennes au nord-ouest de la Grèce. D'après Homère – qui y aurait séjourné, s'il n'a pas confondu avec l'île de Leucade voisine –, c'est le royaume d'Ulysse : la patrie que celui-ci mettra dix ans à regagner après la victoire des Grecs sur les Troyens (*voir carte*) (pages 8, 12, 14, 20, 33, 36, 47, 48, 62).

LOTOPHAGES : Peuplade de *dealers* mythiques et hospitaliers, vivant sur une île des côtes africaines de la Méditerranée. La douceur de leur accueil se paie d'un exil définitif : la fleur de lotus qu'ils font absorber à leur hôte prive radicalement celui-ci de l'énergie qu'il lui faudrait pour repartir. Il reste sur place, crétinisé à jamais (*voir carte page précédente*) (page 20).

MENTOR : Précepteur de Télémaque, le fils d'Ulysse. Athéna prend occasionnellement l'apparence de ce vieux sage pour venir soutirer au garçon les informations dont elle a besoin afin de parfaire la protection de chaque instant qu'elle exerce sur le roi d'Ithaque (pages 12-13).

NAUSICAA : Fille du roi Alkinoos, souverain de Phéacie, elle a tout pour plaire. Jolie, simple, joueuse, pudique et néanmoins sensible au charme viril d'Ulysse surgi de son sous-bois. Courageuse, en outre, puisque la seule à ne pas fuir à la vue inopinée du naufragé hirsute. Et sagace, aussi, car elle devine à quel genre d'homme elle a affaire. Une figure féminine marquante de l'*Odyssée*, et il faut que l'envie de retrouver sa Pénélope soit bien vive chez Ulysse pour qu'il persiste à vouloir poursuivre sa route (pages 16-17, 45).

NOTOS : Le vent du sud, dans la mythologie grecque (page 15).

ODYSSÉE : Poème épique composé vers la fin du VIIIᵉ siècle avant notre ère et faisant suite à l'*Iliade*. Ses vingt-quatre chants relatent le retour, riche en péripéties extraordinaires et s'étalant sur une durée de dix ans, du roi Ulysse regagnant ses terres d'Ithaque après l'expédition punitive victorieuse des Grecs contre les Troyens (pages 9, 70).

Nausicaa

Pénélope

OLYMPE : Par-delà les nuages, c'est le séjour immatériel où se prélassent les dieux qui mangent de l'ambroisie, boivent du nectar et vaquent à leurs plaisirs en s'amusant du spectacle lointain que leur offrent les mortels. Zeus, roi des dieux et maître des éléments, y a son palais (pages 10-11, 15, 16, 44, 79).

PÉNÉLOPE : Reine d'Ithaque et mère de Télémaque, elle est un modèle d'optimisme et de fidélité conjugale. Elle n'a jamais cessé de croire que son époux Ulysse lui reviendrait vivant. Toute la difficulté pour elle est de faire patienter au maximum la meute des prétendants qui espèrent bien le contraire. Ces canailles sont au nombre de cent vingt-neuf, parmi lesquelles il lui faudra, selon la loi du pays, choisir un nouvel époux dès que l'ancien sera officiellement déclaré disparu (pages 12, 37, 47, 54-61, 66-69).

PHÉACIE : Île fabuleuse différemment nommée Skeria (ce serait donc peut-être l'actuelle Corfou) et dont le souverain légendaire, le roi Alkinoos (ou Alcinoüs), tel que le dépeint Homère, est tout à fait le genre de monarque dont on aimerait être le sujet (*voir carte*) (page 16).

POLYPHÈME : Fils de Poséidon, il est le plus célèbre des Cyclopes, et même le seul dont on connaisse le nom. Ce, grâce à Ulysse qui, en état de légitime défense, l'a trompé et mutilé. À quelque chose malheur est bon (pages 22-25, 35).

POSÉIDON : Dieu des Mers et de l'élément liquide, frère de Zeus, il est aussi le père du Cyclope Polyphème, terrifiant personnage auquel Ulysse ne pourra échapper qu'après lui avoir crevé son œil unique. D'où la rancune paternelle tenace que nourrit désormais Poséidon à l'égard du roi d'Ithaque (pages 10-11, 15, 24-25, 35, 45).

SCYLLA : Voir CHARYBDE.

SIRÈNES : Rien à voir avec les gracieuses demoiselles aquatiques dont l'imagerie populaire nourrit les rêves du marin au long cours. Les Sirènes de l'*Odyssée* sont des êtres de cauchemar, rapaces à tête de femme, en nombre d'ailleurs restreint (de deux à quatre) et d'habitat plutôt insulaire. Par leur chant suave, elles attirent les navigateurs ; et tous ceux qui leur tombent sous les griffes, elles les mangent (pages 37-42).

TÉLÉMAQUE : Fils d'Ulysse et de Pénélope, il n'a guère connu son

Troie

père, parti voici longtemps, absent pour ainsi dire depuis toujours. Mais Ulysse s'en trouve d'autant plus présent dans le cœur du garçon qui, tout naturellement, l'idéalise. Comment ne pas idéaliser un tel père ? (pages 12, 13, 48, 50-54, 58-68).

TIRÉSIAS : Devin aveugle, tantôt homme, tantôt femme, et par conséquent d'une expérience humaine avantageusement diversifiée. Ses oracles n'en ont que plus de poids (pages 33-35, 37, 42-43).

TROIE : Cité légendaire de la très ancienne Asie Mineure et théâtre des événements guerriers que rapportent l'Iliade et l'Odyssée. Ils auraient eu pour cause l'enlèvement de la belle Hélène, épouse du roi de Sparte Ménélas, par le jeune prince troyen Pâris, d'où l'expédition punitive d'une coalition de chefs grecs sous le commandement d'Agamemnon, roi de Mycènes (pages 6, 9, 11, 17-20, 26).

ULYSSE : Principal personnage de cette histoire et sans doute le plus populaire, le plus sympathique et surtout le plus romanesque, le plus humain de tous les héros dont Homère nous a chanté la légende. Ulysse réunit en lui un goût prononcé de l'aventure (voir l'épisode des Sirènes ou celui des Cyclopes) et un sens aigu du bonheur domestique. Alliage psychologique plutôt contradictoire et qui ne manque pas de charme.

ZÉPHYR : Le vent d'ouest, dans la mythologie grecque (page 15).

ZEUS : C'est le roi des dieux, qui gouverne le Ciel et la Terre, ayant délégué à Poséidon ses pouvoirs sur la Mer et à Hadès le soin des Enfers. Il séjourne sur l'Olympe, sa foudre à la main, pouvant en frapper quiconque lui déplaît ou lui résiste (pages 10-11, 14, 44-45).

Zeus